KB171714

식성이 바뀌었어 거짓말은 못 했지만

서성이는 마음을 주체하지 못하면
내 마음은 언제까지 너의 문 앞에서 기다릴까

2023년 12월
서고
-
평생 사랑만을 뱉으며 살고 싶어라

2023년 12월
이가하

차례

-

3. 모가지를 텅텅 울리며 나온 그 말 때문에

4. 불량한 낙원으로

5. 잘 넘어지는 수박에

1.
차단 메일함에 들어있는 소식

눈

눈 오는 밤이 왜 이리 고요한 줄 아느냐고
눈송이가 소리를 가둔 채 내린다고 하더라고
허공에 입김을 호호 불던 옆모습을 바라본다
이 밤에 소리라도 질러볼까 히죽대는 얼굴로
눈만 뽀독뽀독 밟는다

이 밤이, 네 곁에 서 있는 이 순간이
이리 고요한 이유가
눈이 소리를 가둔 채 내리기 때문이라면
그렇다면 너를 바라보는 이 마음이
어디서 내리는지도 모를 하얗고 하얀 것에 갇혀
다 올라가지 않고 갇혀서 도로 내려오는 바람에
네게는 도저히 전해줄 수가 없는 건가

성탄의 빛보다 눈 내리는 밤의 하늘이 신께 더 가깝다는 소식
하늘에서 내리는 하얀 것이 신의 영광이라
네 곁에 있겠다는 비천한 기도는
하늘 끝까지 올라가 닿지 못하고 다시 땅으로 내리는가

그 바람이 녹아 다시 축축하게 젖은 마음이 되면
견딜 수 없이 무거워져 내 눈물이 되는가

무신론

작은 교회 같은 내 마음에 찬송가를 부르던 네 말을
난 더 이상 찾을 수 없다
종교는 없지만 성경을 줄줄 꿰던 나와
절에서 지나간 것들을 그리는 너는
신이 있다 여기지 않는다
아주 조금도

동그라미 위 고지서

신발 끈을 묶는 일은 왜 익숙해진 것인지
웃기고 어이없는 장난들은 왜 이제 떠오르지 않는지
편지를 치운 자리에는 아무 자국도 없는데
어항을 치운 자리에는 왜 지워지지 않는 원이 생기는지

잊고 싶다고 생각하여 치운 것은 아무것도 남지 않아
되려 생각나는데
동그란 물 자국은 고지서 몇 개가 가리고
함께 몇 개월씩 잊어버린다

내가 알던 모습을 마지막으로 떠난 짧은 수명들은
그대로 받아적으면 되는데
오랜 시간 많은 걸 공유한 사람들은
왜 이제는 내가 사랑했던 모습이 아닌지

좋아서 적었던 말과는 달리 사실이라 적을 수밖에 없는 것들

인상 쓰며 돌아서는 일이 막 생기기 시작했을 때부터
그런 일을 싫어했습니다만
여전히 저는 많은 것들로부터 인상 쓰며 돌아서고 있습니다

세기

어디에 있는지 모를 사람을 그리워하는 일은
사별한 이의 마음일까.
잘 산다는 말은 전해 들었지만 언젠가 얼굴 보자는 말에는
영영 대답을 들을 수 없었다.
네가 이미 오동나무 상자 안에서 말라가고 있다면
직접 나무못을 박아주며 다신 이 세상에서 눈뜨지 말라 기도하는 건
분명 나일 텐데
나는 그런 기억이 없다
암석에 든 부처를 꺼냈을 뿐이라는 사람처럼
단지 어딘가에서 꺼낸 것으로 내가 네 창조주가 된다면
나는 기꺼이 너를 암석에서 무덤에서 오동나무 상자에서
몇 번이고 꺼내 일으켜 세우고 싶다.
타락하여 욕망에 패배한 창조물도
사랑으로, 인내로 기다리는 주님처럼
다른 이를 사랑해도 몇 세기를 기다리는
주님처럼

소식

파직된 자리의 명패
도출해낼 수 없는 식을 쫓는다는
소문
로망을 따라가
지구에서 두 발이 떨어졌다는
루머
육지가 역겨워
선박에 모든 걸 태우고
망망대해 떠 있다는
차단 메일함에 들어있는 소식

소포 금지

여직 갈피를 잡지 못 한 말이 있지
입 밖으로 내지 않는 게 최선이라고
흘리겠다는 마음으로 구멍 난 코트를 입고
걸어나간다
그러나 돌아오는 다른 길을 몰라서
도로 주우며 온다
주머니에 집어넣을 수 없어서
두 손 빨갛게
지울 수 있나 하여 이리저리 문대보아도
아무래도 안 되겠지
숨겨야 하나 싶은 혼자 있던 아침에
우표를 붙였다

소포 금지

박스에 담을 수 없는 것도
소포로 치나

없는 부고

멀쩡히 살고 있다 생각하면 속이 터지다가도
어디서 얻어맞을까 걱정되면서도

차라리 죽었으면 죽은 사람이라면

묘 앞에 앉아서 술이라도 부어줄 수 있다면
그랬다면 내가 네 묘비라도 알았을 텐데
심중에 내가 있는지 점쳐보지 않았을 텐데

나는
너를 원망하지 않았을 텐데
내가 죽도록 밉더라도 내 얼굴 봐주지 않더라도
어딘가엔 살지 그랬냐고
울어줄 수 있었을 텐데

하루 평생

마음들을 모아 치료하는 데도 한계가 있다
회복할 수 있는 것도 그 갯수가 있다
다시 돌아올 걸음을 세는 것도
너와 내 자격 박탈을 논할 때도
투약해야 할 독한 주사도

모두 채워 써버리면 그 뒤는 없는 거고
보통은 끝까지 세어본다.

시스투스 알비두스는 하루만 피고 죽는다고 한다
딱 하루만 세어본 뒤에
내화성 있는 씨를 뿌려 숲을 태운다

때로는 말이 가장 덜 괴롭다

프린팅 노트

줄이나 격자 같은 선이 필요하지 내겐
무언가를 적어낼 때 웃으며 종종 말했다
그래서 그랬을까
격자 안에 우리를 가두거나
선으로 그어버리는 일 중 하나를
선택할 수밖에 없던가
원이 될 수는 없었나 완전할 수 있도록
고리가 될 수는 없었나 갇히지 않을 수 있도록
격자가 집이 될 수는 없었나 선이 밑줄이 될 수는 없었나
프린팅 된 선 안에서만 살아야 한다고
그렇게 말하지 않을 수는 없었나

수풀섬

머리카락마냥 빽빽한 나무 사이로 내가 걷는다.
이 마음은 받아적지 말라고 하였다 각주까지 붙은 수상한 기록
문자 대신 돈을 넣을게
기부된 마음이 파인 곳에 빼곡히 심긴 것들이 모여 위로 솟는다
끊임없이
붙잡을 것이 없는 걸 깨닫는 순간은
대개 이미 늦었다
없는 게 많아서 단지 가까운 것에 기댔던 것일까

수십개의 식사

바람이 시리면 팔뚝에 조용히 손을 얹어줬던 것도
개복 자국 하나 없는 과거의 병을 들여다보는 것도

늘 그렇듯 내 수저를 먼저 놓아주면서
택시 문을 열어주는 내가 안쓰럽다는 말을
너는 아무렇지 않게 했다

네가 약을 먹었다는 말에 나는 너에게 갔는데
가는 길 내내 가면 집을 뒤져야지 싹 버려야지
피부만 벗겨두고 걔도 데리고 나와야지 하고는 나조차도 두고 왔다
걔를 데려오기는커녕 내가 그 집 구석에 앉아서 허물만 벗고 있다.

담배와 양초와 실밥은 있는데 라이터는 없고
종이가 있는데 칼이 없고
죽어가는 애가 있는데 약이 있다

식사하는 나를 관찰하는 것이 식사 같다고 고백하던 애가
혼자서 식사를 한다
나도 모르는 곳에서

장래희망란

애처럼 웃는 건 나의 오랜 장기였고
너는 그런 나를 사랑했다
어른이 되고 싶었던 너는 그런 나를 사랑했다

블루베리 나무

가장 볕이 잘 드는 아파트 베란다에서
몇 년째 열매 하나 맺지 못하던 블루베리 나무를
저 아래 남쪽 사는 사람 차에 실어 보냈다.
화분도 갈지 않고 시든 잎도 떼어주지 않고
옥상에 덩그러니 혼자 두어 나보다 사랑해준 건 아니라던데
매해 블루베리가 한가득 맺힌다고 한다.
화분도 시든 잎도 문제가 아니라면

내가 곁에 있었기 때문에 그랬나
내가 그리
황폐한 사람이었나

독거

꼭 사는데 전부 같았다.
혼자 덮는 이불을 들춰보는 일이나,

2.
바야흐로 유월

토요일 두 시 역 앞에서

이름과 키를 제외하면 아무것도 모르는 사람을
토요일 두 시에 역 앞에서 만나기로 했다
입술을 물어뜯으며 기다린다 그리고 그가 온다
어깨에 닿기 직전인 밝은 갈색 머리카락
귀여운 옷차림 어울리지 않는 구두
삐걱대며 걸어온다
눈을 보지 못한다
인사하는 목소리는 이질감이 들었다

초등학생들이 으레 그렇듯
심해 도시 속 무작정 집어넣은 나무처럼
빽빽한 크레용을 물감으로 덮은 모양새로
꺼끌꺼끌 기름지고 물기 있는 대화가 이어진다

그 사람은 독특하게 웃었다
나무가 흔들린다 세상은 셀로판지를 댄 것 같다

조각가

탁자에 모과가 가득하다
초록을 장신구처럼 달고 누워있다
조각가는 말이 없다
로댕이 부순 작품처럼 그러하다

마지막까지 지키고 싶은 것이 있다
휴지 조각이 된 가치는 후회 할 줄 모르고
유한한 것을 영원하게 해줘

사람들은 욕심내는 줄도 모르고 욕망한다
케이크를 잡아먹는 아이싱처럼 그러하다
휴일엔 작업하지 않아요 그는 등을 보인다

세이렌과 정박

세이렌의 노래를 들은 적이 있어
큰 소리를 내지 않아
그건 우리들이나 하는 짓인 걸.
바위에 몸을 기대고 작은 입술을 움직이며
아주 우아하게
아아 하고 멜로디 같은 한숨을 쉬지

수염을 세 뼘이나 기른 선장이
갈게 우리가 곧 갈게
배에서 내릴 때까지
파도 속에 정박하고 몸이 불어 터질 때까지

담아

바람 소리로만 남을 순간들이
촉각까지 기록된다면 얼마나 좋을까
창문 열고 달리던 밤을 녹화하고 싶어
햇살 좋은 여름날 복숭아 농장을
발끝까지 시린 겨울 아침 출근길의 횡단보도를
지금이 지나가면 영영 알 수 없는 공기를 담아두고 싶어

정비소에서

해가 쏟아지고 얼굴은 익으며
벌겋게 노래한다
피부가 온 힘을 다해 열을 흡수한다
열 오른 이마가 누구 때문인지 알 수 없는 토요일

자세히 보려고 할 때 눈을 찡그리지
또는 빛이 무작정 침입해 올 때
스피커는 종종 찢어지고 단어는 고채도로 와닿아

손가락 끝이
신속하고도 섬세하게
줄을 넘는다

진부하고 사랑스럽게 합창한다.
건물 사이 튀어 오르는 목소리
바야흐로 유월

무한루프 우산

지나기를 기다려도 지나지 않는 정거장
무한루프 속의 우산들
축축한 머리카락으로 몸을 맞대고
인상을 찡그리고 고개를 처박고

당신의 우산에도 공간을 만들고파
어깨가 젖지 않아도 되는 우산을 둘이서 쓰고 싶어요
대신 눈부신 전조등이 온몸을 적시게

과일박쥐

과일만 먹고 사는 박쥐도 있는데
사진만 먹고 사는 사람이라고 없을까요.
걔들이 단물만 쪽 빨고 나머지는 뱉는 거 아세요?
게다가 하루만 쉬어도 금방 목숨이 위태로워진다네요
아시겠지만 박쥐는 산책시키는 동물이 아니에요
제 생은 씨 없는 오렌지를 닮았구요
천장은 낮과 밤을 흐려 놓을 때나 도움이 됩니다

고백

삐걱거리는 기타랑 피아노가 좋아서 네 노래가 좋다고 하며는
처음 보는 기호를 마주한 초등학생처럼
빤히 쳐다봤지 아주 빠아안히
그래도 좋아

오래된 나무집 이 층 바닥처럼
덜걱이고 으적대는 반주가
매번 새롭게 설렌다고 하면 믿을 거니

콩알만이 완충재

책을 읽기 위해 자리를 정리하는 어느 오후
간신히 앉은 소파에선 싸구려 영화 소리가 들린다

부시럭대는 것을 질질 끌어 방에 가져다 놓고
창문도 열고 쿠션도 보탰는데
자립할 생각은 추호도 없는 앉을 자리가 무너져 있다
남의 인생을 읽는 동안 창이 닫힌다

이젠 그릇 부딪히는 소리와 물소리가 점령한 문밖에서
내 의지로 이뤄지지 않는 것들이 들어오지도 않고 서성인다

보류

느끼한 면 요리에서는 고무줄 같은 맛이 난다
어떻게 넘길지 도저히 모르겠다던 아이는
개껌처럼 질겅대며 식사한다
걔가 나를 사랑하는 건 꼭 까르보나라 같아서
저렴한 시판 소스로 얼버무린 것 같은 고백도
도움은 안 되지만 수북이 쌓인 치즈도
소화되지 않은 채로 내 밥그릇에서 불어간다

32도 하드

네가
살이 느슨한 선풍기 앞에 앉아서 노래할 때
내가 아는 모습 중 가장 어린아이 같아서
무심결에 아이스크림을 쥐여 준 적이 있다
너는 하드를 앞니로 깨무는 버릇이 있었지

선풍기 앞에선 왜 더 빨리 녹을까
맨다리 위로 녹은 수박을 방울방울 흘리며 묻는다
나그네 외투를 걸고 내기하는 어느 동화처럼
추운 바람 앞에서 옷을 더 껴입는 게 아니냐고 답한다

뼈만 남은 하드를 무심히 깨부수며
고개를 끄덕인다
무참히 깨부수며

미아

이름조차 간신히 기억나는 사람을 미친 듯이 찾는 습관이 있다
정신은 가끔 방향감각을 잃는데
눈 감고도 찾아가는 길들은 오래전에 무너진 다리
취한 것처럼 더듬대며 로프를 감고 건너서 기어코 발견하고야 만다
그 이름을 잊더라도 돌아오지 못하는 곳으로

가득하다 막아도 막아도 끝없는 공사장 플라스틱 벽처럼 안겨 온다
지나치지 못하고 쓰담고야 만다
어릴 적 잃어버린 트럼펫 같은 그 사람을
반듯하게 세우고 괜히 불어본다
이때, 장갑을 끼고 만질 것

녹

이유 없이 그때가 그리워져서 울고 싶어질 때가 있다
보고 싶어서 같이 있고 싶어서!
사랑하지 않아도 상관없다 그런 문제가 아니기에

죽을 만큼 고통스러운 겨울 눈 맞으며 걸어가는 우리 아무도 안 밟은 눈을 뛰어다니면서 손가락이 빨갛게 익을 때까지 이름을 쓴다. 내일은 오늘보다 힘들 거야 그걸 알아도 오늘은 지나가기에 한참을 고민하다 신호등 앞에서 헤어진다. 또는 선선한 여름날 오 센티도 넘는 굽을 신고 카페를 찾아 돌아다니며 화면 속 작은 우리와 가게를 번갈아 살핀다. 아마 이 골목이겠지 간신히 찾은 목적지는 얼얼하게 차갑다. 좋아하는 음료를 잔뜩 마신다 내 피는 초록색일 거야.

무작정 걷기의 장점은 처음 보는 꽃을 만날 수 있다는 점. 안녕하세요, 말씀 많이 들었습니다 언니가 그쪽을 좋아해요 잠깐 찍을게요 가만히 계세요. 하고 삼십 초간 지나치게 친밀한 태도의 사진작가에 빙의한다 이 골목을 따라 죽 걷다가 구두가 박살 나서 절뚝여도 기꺼이 목발 짚고 이 여름을 사랑하겠노라 다짐한다 계절은 해를 잡아 끈다 잠이 많은 사람도 착각하고 깨어있는 세 달을 보낸다 졸지 마세요, 아프지 마세요 제 기억 속에선 모두 건강하세요 종종 도망쳐 올게요

미파솔도도레

돌보기 같은 안경을 쓰기 때문에
작은 것도 크게 본다
손가락 끝에 바른 연둣빛 매니큐어
느슨히 박자를 맞추는 오른발이
선명하게 보인다
내 눈앞에 맺힌다

얼굴도 모르는 기타리스트를
지나치게 가까이서 관찰한다
환절기 날씨 같은 그의 연주를 본다
지나치게 가까운 음악이 내 눈에서도 흐른다
여전히 난 그를 모른다

물먹은 솜

물먹은 솜을 이고 가듯 산다
콧잔등으로 물줄기가 떨어지다가 어느 틈엔가 흘리며 걷는다.
아저씨는 왜 울어요
저기 얘야 이건 눈물이 아니고 머리 위에 젖은 솜이
내 배꼽보다 낮은 곳에 눈이 달린 아이가 올려다본다.
어린 앤 몰라도 돼
오후엔 비가 올 것 같아

3.

모가지를 텅텅 울리며 나온 그 말 때문에

껌

나는 여름에
유독 검은 내 머리가 타는 건 아닐지 더듬어 보는 일이
적지 않게 있었다
손으로 가려지는 게 아닌데도
만진다고 열이 가라앉는 게 아닌데도

꼭 손을 머리 위에 얹고
먹물로 물들인 것 같다는 말을 그리워하며
수도꼭지를 틀었다

명명

폭발에도 이름을 붙이는 이 우주의 미련한 지구인처럼
나는 너와 나 사이에 이름을 붙이고
손쓸 수 없이 도는 궤적을 바라만 보고 있다

아무것도 보이지 않는 곳을 찍자던 어느 과학자처럼
너는 들여다보지 않을
계산된 궤도를 벗어난 움직임을
나는 아주 오래 들여다본다

아무도 의심하지 않는 나의 예측을 나는 항상 의심한다

쓸만한 것들은 모두 제쳐두고
네가 떠난 자리에서 구부러진 클립을 원래의 형태로 되돌리는 일에
몰입하고 있다

삶에는 네가 있던 날보다 없던 날이 많고
도서관에는 내가 읽은 책 보다 읽지 않은 책이 많고
노래 중에는 내가 들은 노래 보다 듣지 않은 노래가 더 많지만
내가 관측해낸 것은 그게 다라서
나는 이렇게 좁은 세상을 오래 살 것만 같다

앞뒤가 맞지 않아도 문학을 쓰던 너와는 달리 난 그게 되지 않아서
남들을 납득시키는 소리만 골라 한다

타인

틈에 끼어 빠지지 않고 썩는 것들의 악취
모조리 닦아내고 싶어!
그 애에게서는 나도 너도 내 동생도 모조리 타인이다
긁지마 라는 소리가 들리지만
긁어내지 않으면 여기서 계속 썩어들걸
사라지지도 않고 고체도 액체도 기체도 아닌 모습으로
코밑에서는 계속 악취가 맡아질걸
그 사라지지 않는 것들 때문에 사고가 날걸
들리지 않는 목소리의 침묵
너도 내게 타인일걸

생존법

할 얘기가 많다며 너를 긴장시키는 소리는
그때 이후로 접어서 상자에 넣어뒀다

없었다면 버티지 못했을 거야 하고
나를 살려낸 취미를 헤어진 옛 애인처럼 얘기하고
삶에서 그런 경험 다신 없을 거라고
까다로웠던 면접 얘기를 하듯 사랑했던 사람에 대해 말한다

내 얘기가 듣고 싶다는 말에 코가 꿰어
오래 힘들었다고
내 얘기를 궁금해하지 않는 사람에게
쉽게 털어놓는다
오래 기억해주지 않을 것 같아서

양말 뒤집지 마, 머리카락 좀 주워 같이 뜻 없는 말이
취미가 될 수도 있겠다 고대했었다는 얘기는
굳이 하지 않는다
내가 오래 기억할 것만 같아서

물침례

비행기가 지나 난 네 말이 안 들려
그 애가 말했다.
십자가는 바람에 흔들리지 않고
비에 무너집니다
죄가 물에 삭는다면
어째서 우리는 물침례를 받습니까.

입 거미줄

그리운 마음에 밤새 켜두었다
묻는 말에 그렇다고 대답하는 일이 아주 어려웠다
아직도 그 노래 좋아하니 묻는 말에
그렇다고 대답하고 싶지만
요즘 노래 안 들어 라고 말하는 고집만 생겼다

나는 좋아하지 않는 음식을 너와는 자주 먹었다
식성이 바뀌었어 거짓말은 못 했지만
너와 함께여서 괜찮았다는 구식 멘트가 자꾸 떠올랐다

일반 병동

단순 간절함이라 했나.
해만 뜨면 구역질하고
진통제를 달라고 울부짖는 병자마냥

그냥 마음의 불안이라 했다
아주 큰 병이었다

이사

너의 삶까지 내가 살려고 한 게 잘못이었어
길고양이에게 으레 그렇듯
누군가 돌보아주는 것 같다며
행복과 장수를 빌어주고 다시 돌아오지 말았어야 했는데
눈에 밟혀
라고 말한 것부터
나의 오만이었어

멀지 않았다고 말할 수 있던 것들이
도로 멀어졌다

책장을 넘기는 소리는 모두 같아
내가 앞장을 읽어가는지
여전히 뒷장를 넘겨가며 곱씹는지
보이지 않는 너는 모른다는 얘기

이사를 해서 좋은 점은
이제 내가 어디서 어디로 걸어가 어디에 눕는지 넌 모른다는 것
싫은 점은
이제 내가 어디서 어디로 걸어가 어디에 눕는지 넌 모른다는 것

네가 나를 잘 아는 만큼 미웠지만
그래도 누군가는 내가 지금쯤 어떤 행동을 하는지
어디서 어디로 걸어가 무얼 하려는지 떠올려 예상해주길 바랐는데
누구도 모르는 사람은 아니길 바랐는데

마루

칼날 소리가 나는 고통이 줄지어 창가에 앉는다.
한순간이면 될 거라고 믿었던 순간들의 역변이었다.
고통은 고통이었고 역겨웠다면 역겨웠고 울었냐면 울지 않았다.
보이지 않는 걸 믿는다는 입버릇도 사라졌다.
보이지 않는다. 들리지 않는다. 느껴지지 않는다. 하는 소리가 입에 붙어서 칼로 긁어 떼어내야 했다.

벽지

지난 시간을 벽에 건다.
끊어지지 않는 길쭉한 시간으로
방을 돌돌 말아낸다.
너와 있던 시간만 자꾸 떨어진다
무거워서 그런가 자꾸 축 늘어진다.

대명사

단 하나뿐인 머리와 달리
매번 수십 개씩 태어나는
사라졌다가도 도로 똑같이 부활하는 대명사는
어디서 매일 새롭게 잉태되나요
아무 뜻도 없다는 이름에 달린 각주는
작은 개미 무리 같은 글자들은
몇 번의 스크롤을 내려야 끝나나요

박차고 나간

어째서 위험한 마음들은 내 바람대로 되지 않는 것인가
어떤 가벼운 마음들은
멋대로 튀어나가도 상관없는 마음들은
뇌리에 앉아 얌전하기만 한데

어째서 네가 미운 마음은
네가 그리운 마음은
널 사랑하는 마음은 뛰쳐나가 날 곤란하게 만드는가

무엇이든 마음 깊은 진심을 말해보라는 터무니없는 질문을
나는 기다렸던 것인가

네가 가볍다고 실컷 욕하던 내 혀를 누르고 나는 기어이
네가 돌아왔으면 좋겠다고 토해놓는다
모가지를 텅텅 울리며 나온 그 말 때문에
그 음절 음절 속 독 때문에 나는 또 며칠을 앓았다

무릎

무릎 연골이 찢어졌었다. 계단을 내려다가 무릎이 반대로 꺾이는 바람에 통증으로 걷기 힘들어서 기숙사 방을 한동안 1층으로 옮겨야 할 정도였다. 조금만 더 찢어지면 수술해야 한다는 말에 너는 많이 놀랐는지 통증이 사그라들고 수술 없이 깁스를 풀고 진통제를 끊고 열일곱이 스물이 될 때까지도 넘어질 듯 휘청거리는 나를 보면 수술대에 오른 내가 스쳐 보이기라도 한 것처럼 소스라치게 놀라며 내 이름 외마디에 잡고 있던 손을 너한테로 확 끌어당겼었다. 정작 무릎에 수술 자국이 있던 건 너였는데 좀 길게 걸었다 싶거나 걸어야 할 일이 있으면 진작 붙은 내 무릎을 걱정했다. 요즘도 자주 휘청거린다. 네가 잡아주지 않는다고 그냥 넘어지는 드라마틱한 얘기는 아니고, 그때도 그랬듯 휘청거리기만 할 뿐 진짜 넘어지는 일은 없지만, 그럴 때마다 덜컥덜컥 마음은 무언가에 걸려 넘어진다. 내가 넘어지면 마치 자기가 잡아줄 수 있는 것처럼 매번 힘줘 당기던 얇은 팔뚝이 깜짝 놀라 부르던 내 이름 수십 번이 걱정돼 죽겠다는 표정들이 기억 저 너머에서 밀려들어와 나는 요즘 자주 넘어진다

4.
불량한 낙원으로

무명 기타리스트

서둘러
좋은 이유가 뭐냐고 여럿 물어도 건질만한 건 아무것도 없었지
넌 그냥 그런 사람이기 때문에 좋은 거라고
처음부터 그 전날부터
넌 기억 못 하는 그 예전 어느 시점부터 좋아했다고.

감각적으로 흐르는 음표들 같은 장면을 반복하는 표지
머리 꼭대기서부터 발끝까지
말씨 하나에도 물방울이 맺히는 것 같아
근처에 가면 밴드 음악이 들리는 것 같은 사람
질릴 만큼 짙은 녹색으로 그 숲으로 시간으로 공간으로.

유령 해파리

저 바다 끝에 걸린 동그란 부표들
손을 잡고 경계를 그린다
넘어가면 안 되는 심해를 지키려고
노오란 부표들이 손을 잡는다
불규칙한 악수 사이 해파리가 길을 잃는다

저기 선생님들,
아실지 모르겠으나 여기서부터는 우리 집 마당이에요

위험하니까 심해는 안 됩니다
당신이 이곳에 거주하는 해파리여도
안 되는 건 안 됩니다

미씽 차일드

눈이 온다
쏟아지는 눈송이 사이에 버티고 선다
무섭게도 내린다 세상은 하얗다 못해 뿌옇다
바닥에 적은 이름들이 천천히 지워진다

지나온 길 온통 눈이구나

시린 귀가 마지막 음성도 잊어버리곤
제 잘못을 아는지 낯빛이 붉다

어디를 헤집어도 하얗기만 하다
천장도 바닥도 없는 지구에서
나의 첫눈을 찾는다

스틱스

스틱스강에 발 한 쪽 담그고
바가지를 들어
발을 씻는 노인이 있다

죽음으로
더러운 곳을 헹군다
죄가 흐른다
강바닥을 깨운다

견고히
죽음으로

그의 걸음이 단단해진다

흡

폐로 호흡하는 아가미가 달린 사람
선택사항 다양하셔서 좋겠어요
그럼 제 방 불 꺼주세요.
아가미가 손가락이 아니라뇨
아몰랐어요.
그냥 좀 해줘
안돼요?
아가미가뭐라고유난이에요.
뭐가 아닌데

너는 병이 좀 있어서 그게 낫기 전까지는
아무래도
생각좀그만해!

젤리벨트런웨이

가까이서 보여줄 때까지 알아보지 못했고
안경알까지 닥쳐왔을 때 코끝에 설탕이 묻었지
세 가지 색 젤리벨트

네 가지나 빠지고도 감히 무지개를 흉내 낼 수 있어

그는 천국을 모방하고 어찌 되었든 우리는
도착하게 된다고
했었다

네발로 기어야 갈 수 있는 싸구려 무지개
으적이는 신 가루들이 발목까지 잡아먹고 있다
투박한 모양으로 이토록 섬세하게

천국이라면서 끝없는 조깅이 이어진다
발밑의 무지개가 사라졌다
목에 두르고 있다
입에 넣고 있다
포장해서 오백 원에 팔고 있지
아니 개미한테 줘버렸어

한없이 저렴한 런웨이
불량한 낙원으로

해외여행

나를 긁어대던 단발머리가 일본에 갔다
느끼는 걸 모두 뱉는 게 멋없다는 걸 안 이후로
멋 부리지도 못하는 주제에 다 삼켜버리는 사람이 되었다
백팩만 달랑 들고 공항으로 멀어지는 점을 한참 보았다
잘못되기를 바랐다
멋없지만 사실은 그랬다

한겨울 도로에서

어디를 보는지 모르겠는 사람이 자꾸만 이쪽을 향하는데 나는 어찌 할 줄을 몰라서 눈을 잠깐 주머니에 넣는다 그 사람이 올 거야 나도 알았지만 굳이 상기하며 한 손에 들어오는 눈알을 굴린다 제발 떠나 길 이곳은 먹을 것도 없고 지루하기만 해요 그런 걸 원하시나요 아무리 읊조려도 계속 다가와서 가만히 나를 본다. 구멍뿐인 내 얼굴을 빤히 그리고 천천히 숨을 들이쉬듯이 웃는다 당신 같은 사람을 기다렸어 그가 말하지만 나는 아무것도 이해하지 못한 채로 시야를 아스팔트 위로 던진다 어느 철창을 통과해 구정물을 타고 지하로 흐르는 게 어제 먹다 뱉은 사탕인지 내 눈인지 모르겠는 채로 응시 당한다 왜 저예요 내가 물으면 그 사람은 아무 말도 없이 답한다 네가 제일 외로워 보여서

있거나 존재함

악보를 못 읽어도 소리는 나고
레시피를 잊어도 맛은 나는데
사용법을 몰라도 전원은 켜지고
맨정신이 아니라도 찾아갈 수 있는

꼭 줄이 끊어진 것처럼
가스가 나간 것처럼
건전지가 없는 것처럼
늘 흐리게 산 것처럼
영영 잃어버린 걸로 착각들 하잖아요

말미잘의 주말 이야기

말미잘네 옆 동에서 자살 소동이 벌어졌다고 하네요
나이도 이름도 얼굴도 모르지만 죽진 않았다고요
본 적도 없는 사람이 살기를 바라는 마음이 어떤 건지
아직은 모르겠지만요
보통의 사람이 생명에 큰 의미를 부여한다는 건 알 것 같아요
당연한 이야기지요
저는 그 이야기를 듣고 생각했어요
역해서 쓸 수는 없고요
나중에 이걸 다시 읽을 때에도
이 생각은 기억나지 않았으면 좋겠어요
행복하게 지내세요 살고 싶을 만큼
오래 오래 오래 사세요

블루 스크린

굽은 허리로 가만히 앉아서
몇 시간째 어딜 돌아다니는지
부지런한 눈알은 쉬지도 못한다
깜빡하면 다른 세계의 다른 언어
여기는 매년 오십 센티씩 눈이 쌓이는 나라
그 앤 부츠를 적시지 않고도 눈을 맞아요
손 시리지 않게 쥐고요
옷차림은 언제나 새파란 반팔 티셔츠
청명한 가을 하늘 같은 모니터로

싸구려 포장지

당신은 당최 알 수가 없어 이 말을 해보고 싶었어 당신을 다 알게 되어도 그게 어느 때여도 분명히 찾아올 위기에 이런 대사를 던져서 우리를 그럴싸하게 포장하고 싶어 진지해 보이잖아 밤 열두 시 싸구려 패스트푸드점에서 햄버거 세트 시켜두고 하는 얘기가 아닌 것 같잖아

페르세포네

석류 알갱이들을 토해내면서 생각한다
태양을 삼킬 수는 없다.
난 입천장이 다 까진 채로
어떠한 잔여물을 뱉는다.
빛을 머금은 순간 죽어버린 생명을
입에 한 알씩 넣고 으깨며
죽음을 혀끝으로 굴린다.
하지만 이토록 달콤한 생!

모든 일이 계산에 의해 진행된다.
납치와 식사, 과일과 계약, 그리고 규칙들
내 삶을 여러 등분해도 평생 행복하지 못하리라
전과 같은 기쁨을 맛보지 못하리라
깨달았을 때 즈음 풀꽃 같은 어머니를 떠올린다

지옥 녹음본

여기서 가장 먼 곳으로 갈 거야
거기서 내려서 죽을 테야
지구는 둥글어서 돌아도 돌아도 결국엔 구
멀어져봤자 지도에서 삼십 센티예요
자로 그어서 갈 수 있어요

안전한 곳은 없다
지하에는 지옥의 비명이 들리는데도
지상은 왜 고요한 거야
심지어 풀벌레 소리까지 들린다고요
저 밑에선 다들 괴로워서 소리치고 있어요
락 음악은 바람 소리처럼 사라진다구

등푸른생선 알레르기

그게 목에 걸릴 때는 삼키려고 컥컥댄다
뱉기 위함이기도 하고 정확히 정하지 못했지만
생선 가시 같은 말은 존재하지 않아도 존재한다
손끝을 세우고 걸어 다니기 때문에
여기 없어도 느낄 수 있다

친구는
잔기침 하듯
내가 부럽다고 말했다

등푸른생선이 식도에서 헤엄치기 포기한다.

나는 그날 이후로 고등어를 먹지 않는다.
그러나 우리는 가끔 마른 멸치 등뼈가 걸려서 응급실에 간다.

5.

잘 넘어지는 수밖에

목젖

조는 모습조차 보여주지 않으리라 다짐이 무색하게
홑이불 덮어주는 팔을 실눈으로 보았지만
타종 소리에도 나는 일어나지 않았다.
흔들리는 커튼이 밀려와 닿아도
자는 이 곁은 떠나지 않는 그림자가 좋아서
깨는 시늉조차 하기 싫었다.
네가 자주 바라보는 목젖이 윗배가 보조개가
주체할 수 없이 흔들려서
숨길 수도 없었다

위산

사랑했다 고백하는 일이 부끄러웠다.
뻔대는 마음을 누르고 살을 붙이지 않고
너를 사랑했어. 얘기하는 일이
아주 오랜 고민 끝에 허가되었다.
그 어떤 최악의 가정도 벌어지지 않았으나
가장 듣기 힘든 말이 손에 떨어졌다.

흐르는 물에 흘려보내도
정수조를 거쳐도 변형되지 않고
도로 마시게 되었다

나도 그랬어.

사람은 균을 소화해내기도 합니다만
물을 마셔도 체하기도 합니다

다리

헬멧 안에서 자꾸 향내가 나
좀 더 나은 인사일 수는 없었나.
네가 세워놓은 것들이 하나씩 넘어질 때마다
나는 그대로 두는 걸 택했다
너도 털어내야지
향내가 생각보다 무겁더라
가만히 앉거나 눕는 걸 못해
잘 넘어지는 수밖에
매번 그러지는 못하지만

얼어 죽을 망정

내가 네 방바닥에서 담배를 주워들고 냄새를 맡으며 이거 그거지? 화한 거하고 물었을 때 네가 나를 보고 보일듯 말듯 웃으면서 그래, 똑똑하네 사랑 하고 말했을 때 나는 네가 분명 무언가에 단단히 질렸다고 생각했다. 이 방바닥에 널린 것들 중 네가 애착을 둔 물건이 없을 것임을 나는 확신했다. 제대로 닫아두지도 않은 담배도 몇 번 켜보지도 않은 것 같은 양초도 편해서 좋다고 했으면서 정작 안고 자지는 않았던 베개도

다시 나를 등지고 무언가 만져대던 뒷모습을 나는 한참을 쳐다봤다 네가 나를 질려할지는 걱정하지 않았다 네가 너를 이 방을 네것들을 질려하면 어떻게 해야할지 나는 고민했다 잠에 들면 품에서 벗어나던 그때와 달리 잠들어서도 파고드는 걸 보면서 네가 있는 곳은 여기가 아니라는 생각이 들었다 네가 어디에 있을까 네가 어디에 있을까 고민하다가 내가 여기 남으면 너도 이리로 올까 하는 생각이 들어 돌아가고 싶지 않아졌다 입고 온 옷은 두고 가라는 말도 술에 취해서 나란히 걸으면서도 두 손을 모두 잡아달라고 고집부리는 것도 다 가지 말라고 우는 것만 같아서 돌아가고 싶지 않아졌다
얼음 위에 댓잎 자리 만들고 너와 내가 얼어 죽을망정 오늘 밤 더디 가기를*

*만전춘별사

명령

사사로이 퍼지는 구전의 주인공
종식된 마음의 잔여물이 나도 모르는 곳을 떠돈다
차지했던 영역의 빈터가 다른 이에게 수복되어도
텁텁한 민심이 향하는 곳은
멀리 떠난 옛 주인의 명령
빼곡한 풀 포기 사이로 이따금 들리는
라디오 속 주파수 틈새로 비집고 나오는
차갑게 식은 고향 땅에 나 몰래 눌어붙은 마음들

붙박이

논외의 이야기뿐인 엽서
지구 반대편에도 내가 살았으면 좋겠다는 문자
출항하는 배에 몰래 탈 수는 없는 거야?

로마에도 어느 김씨가 킴으로 불리고 있겠지
붙박이장이 그리워 서랍에 눕고 싶겠지
조문에 참석하지 못한 애통함을 달래려
먼 곳에서 흰 셔츠를 차려입겠지

거울반사

죽도록 아픈 맘은 오래가지 않는다는 얘기를
이마에 써서
저를 마주할 때마다 보았는데요
기억을 상기시켜주는 취미를 가진 것이
그 논리와는 상극이었는지
죽도록 아픈 맘이 생각보다 길어서
많이 남기게 되었는지
즐겁다고 여겨서 찍었던 당시의 마음에
채 닦이지 않은 것이 묻어있어서인지
어떤 점이 죄가 되어
여전히 책상 위에 붙어있는지
이 흔한 취미가 모두에게 이렇게 작용하는지
저는 모릅니다만.
제가 거꾸로 써서 그런 걸까요
그리 아프지는 않은 맘이 가장 오래간다는 얘기를

폭

본디 폭풍 속에 걸어 들어가는 걸 즐기는 사람은 아니었다.
친구들은 종종 폭풍 속으로 폭우 속으로 폭설 속으로
걸어 들어갔다가, 눈치채기 어려울 만큼 울거나
다른 사람 같아 보이거나
종종 돌아오지 않기도 했다.
가만히 있으면, 내게는 그럴 일이 생기지 않을 줄 알았다.
다가가지도 도망가지도 않았지만
나는 이미 눈치채기 어려울 만큼 울고 다른 사람 같아졌으며
돌아갈 수 없었다.
쫓아가고 싶어졌다 내가 찢기던 순간을.

딱지

굳은 줄 알았던 마음이 떨어져 나가자 도로 피가 흘렀다
검게 굳어 그대로 살 줄 알았던
흉진 마음 밑에서 붉고 찰랑한 유동적 마음이
도로 흘러나왔다
또다시 감염되어 버릴지도 모르는
환부가, 치부가 열렸다
또 고열과 고름과 통증에 시달릴지도 모르는데

손금

네가 내 손금에 물이 들면
지울 수 없는 생애가 되나
그럼 나는 너를 따듯한 목욕물에 씻기고
내 두 손을 담궈야겠다.
손금 사이사이 그 어느 하나
네가 관여되지 않은 것이 없도록 해달라고
물속에서 손을 비비며 빌어야겠다

추

나는 언제나 실패와 후회 중에 실패를 선택하는 사람이었고
너는 내가 가장 많이 선택한 실패였다
세상에 두려움이 없는 사람은 없고 이겨내는 사람만 있다지

나는 너를 죽은 사람으로 생각하기로 했다
덕분에 내 마음은 몇 달째 초상을 치르고 있다
아마 영영 치를지도 모르겠다

세상에 영원한 건 없다고 네가 그랬지만
그래도 영원에 가까운 것들이 있다고 한 것도 너였다

장례식에서 기도하는 일은 여전히 사람이 할 짓이 못되더라
근데 나는 이 사람이 할 짓이 못 되는 일을
영원에 가까울 정도로 하게 생겼다

종종 그리운 마음에도 죄책감이 생긴다

말무리

네 말무리가 뛴다
나를 밟고 두드리며
너의 말무리가 뛰어들어온다
네가 보낸 말들이 언제인가 화석으로 발견될
발자국을 낸다
나는 반항 없이 흔들리며 네가 흘린 말무리를 며칠이고 몇 번이고
방목한다
몇 번이고 마음을 흔들도록
말들이 늙어 죽고 묻혀 유골이 되도록 장례를 치르며

조리

끓는 마음에 찬물을 붓습니다.
거품은 넘쳐 울음이 되고
마음은 이내 잠들어 죽습니다.

검은 고양이

검은 고양이를 기르고 싶은 맥락으로 네가 보고 싶다
실제로 기회가 주어진다면 책임감에, 두려움에 그러지 않겠지만
계속, 무의식적으로 언젠가 가능하지 않을까 싶은 마음으로

어떤 게 그립나, 상세히 말해줄 수도 있겠지마는
오늘은 그러지 않을래요. 내일도 살아야 하니까요

6.
어항을 감춘다

마흔하나

생일을 지난 네가
팔월에 태어난 나와 마주친다
넌 공허하게 몇 분이고 서있는다.
빈자리가 나도 아무도 앉아서 가지 않는다
고개를 숙인다 알아보지 못하게 한다

자수 놓은 것 같아, 했었지
괜히 어깨를 감싸 쥔다

해가 바뀌고 네가 없이 여러 번 초를 껐다
우리는 괜찮았으니까 폭죽도 터트리게 되었다
치즈케이크 숫자 초 촌스러운 고깔

너 모르는 그 해부터 그랬지

아아

왜 더는 이곳을 찾지 않는지
왜 어항의 금붕어 수를 헤아리지 않는지
왜 내 발아래서 풀린 신발 끈을 나보다 먼저 눈치채지 못하는지
왜 내 물 잔은 항상 비어있는지

모르지는 않아요
모르지는 않아요

아아 왜

레몬바질

물 밖에 나오면 젖은 머리카락도 마른 머리카락이 될 수 있다
아무도 변화를 꾀한다고 비난하지 않는다
죽은 바질의 뿌리에 영양제를 끼우고 억지로 깨우는 일도
언젠가는 의미 있게 될까.

밖에서 새는 것은 안에서도 샌다던데
흘러서 고인 액체들은 어디로 가는 걸까.

비처럼 내려서 여길 다 적신다고 하면
불평도 불만도 없이 젖은 머리카락으로 젖은 몸으로
무릎이 나온 무거운 옷을 끌고 다니면서
옆에서 앞에서 뒤에서
식은 채로 부활하는 그의 바질

어깨를 흔들어 깨우지 않아도 알아서 일어나고
알아서 물을 마시고 때에 따라 약을 먹고
바람이 불면 연기하듯 머리카락을 흔들고

바보처럼 살고 싶어서 널 키우기 시작했어
기꺼이 다치지 않고 상처 하나 없이 귀를 열고 들어

대열

어떤 약을 믿어야 이 병을 고칠지
어떤 의사를 써야 이 병을 고칠지
모르지만 알고 싶지도 않지
뒤처지는 걸 즐기는 편이야.

어디서 내려야 집으로 가는지
알지도 못하면서 무작정 버스를 타는 일

너를 모르던 때로 돌아가서
천천히 호흡하고 싶다
신중했다면 병에 걸리지 않았을까

어느 짝사랑

좋아하는 마음만으로는 무엇도 할 수 없다
내가 좋아하는 것이 존재했는지도 헷갈릴 만큼 오래된 이야기 같다
가장 슬프게 우는 얼굴도 아는데 좋아하는 음식 하나 모른다니
당신에 대하여 안다고 단정 짓는 일을 관두려고 한다

나는 아무것도 모른다 당신이 어떤 모양으로 웃으며
매일 아침으론 뭘 먹고 어떤 세상을 보는지에 대하여

지하철 2호선에서 스치듯이 만난 하얀 머플러를 두른 사람과 당신은
어떻게 다를까

어쩌면 모르는 사람일지라도 사랑해
펼쳤을 때 전혀 다른 그림이 나와도 좋아
이제 돌이킬 수 없어! 삐뚤어진 앞머리마저 사랑해

무엇이든 촘촘하게

모조 진주를 엮은 목걸이를 봤다
오래된 서랍에서 찾은
촘촘히 이어져 낄 틈도 없는
포도송이의 포도들이 그렇듯 인상을 찡그리며 구겨진다

너는 빽빽한 도시가 답답하다고 했지
꼭 짐승을 가둔 우리 같다고
미지근한 온도로 밀착하는 건 불쾌하다고 말야
하여 날마다 내 마음은 후미진 동네로 이사한다 아직도 여전히

아이 캔트 두 디스

어느 봄 그가 말한다
모르는 역에 내리고 싶을 때가 있다

나는 언어도 생김새도 낯선 곳에 가고 싶었다
그가 하는 말의 절반은 내가 모르는 단어였지만 감히 사랑했다
그러지 않는 방법을 모르는 것처럼 사랑했다.

포장을 벗기기 전까지 선물이 뭔지는 알 수 없다
고의로 모르는 일도 있다
로맨틱하지 않으니까

떠난다고 했다 내일인지 모레인지 몇 달 뒤인지

나는 못 알아들었다
어느 봄 여전히 그가 말한다

지그재그

무수히 무력한 무한의 무지한 무뢰한
지옥의 지하의 지혜의 지성인
아름다운 아이들이 아첨하는
들판의 들짐승

푸른 것은 물속에 숨는 장기가 있지

물이 어디까지 찼는지 확인하려고 인상을 찌푸릴 때가 있지 아무짝에도 쓸모없는 것들은 가끔 필요해 서랍 속에 넣은 것들이 안에서 나열되지 못하듯 우리는 보이지 않는 곳은 짐작도 하려고 하지 않지 그가 좋아하는 노래를 들었어 산어귀에서 새가 노래하는 것 같은 전주 그리고 비명 이런 음악을 뭐라고 하더라 아마 사랑 고백 아니면 찬송가 아니면 클래식 가끔 호수에 고개를 박고 있으면 깊은 곳에서 무언가가 올려다보고 있지 눈을 피하면 여러 마리가 몰려오니까 조심해야만 해 아아 그건 투명하니까 만질 수도 없어 푸른 것들은 물속에 숨는 장기가 있지 아무리 따라 해도 나는 노란색 비늘을 벗기지 못한다 낚아 올린다면 오후 다섯 시 이십 분일 거야 손님들은 그때 몰려오거든

카나리아

남이 닫고 간 관 뚜껑 같은 것을
봤다고 우기지
머리 위에 있고 눈꺼풀과 먼 곳에 있어도

나는 어제

사막에서 카나리아를 봤다.
왼쪽 날개에만 초록 깃털이 있어

카나리아를 보듯 너를 봤지
모래 한가운데서 네가 태어나고
길들일 틈도 없이 새장으로 날아갔어

사막의 카나리아

그리구 너는 조는 것처럼 듣지

어이없는 단어의 나열로도 사람을 현혹할 수 있어
가령 라임 지렁이 자동차
미지의 세계는 호기심을
그런 것이 정말로 있는가는 주제가 아니지
단지 줄을 세웠을 뿐이야
그리구 너는 조는 것처럼 듣지

도둑 금붕어

문틈으로 금붕어가 들어온다
눈치채지 못할 만큼 조용하고 빠르게

도둑 금붕어가 헤엄친다

잠들지 못하는 동생이 가장 먼저 도둑을 발견한다
파자마 차림으로 재빨리 체포한다

방과 방 사이에 쇠창살이 있다

어항을 감춘다

앙상한 등

서가에 가면
앙상한 등과 오른쪽으로 틀어진 척추가
가늘게 웅크린다
어쩜, 이 자리에서 오래 버텼구나
난 그런 걸 알 수 있지.

손가락을 대면 먼지 같은 실밥이 튀어나온다
넘기기 부담스러운 페이지가 펄럭인다
힘없이
머리카락이 쏟아지듯
제대로 만들지 못한 장들이 탈락한다
꾸준히
웅크리고 쏟아지고 잃어버린다

저기요
제가 이걸 어디에서 찾았는지 모르겠어요

추수

하얀 쌀알을 양손에 쥐고 몰래 숨기기라도 하듯 입에 밀어 넣었다
삼키기 직전 그대로 뱉는다 혀로 잇몸으로 감추려고 했는데
까슬한 감촉이 곤두서서 여기저기 긁는다 밥알이 쏟아진다

보지도 듣지도 못한
곡물이
가장 친숙한 구멍에서

쏟아진다

욕심쟁이를 보면 언제나 한 발 빠져서 빈정댔지만
남들 하는 건 다 하고 싶었다.
나는 겨우 쌀을 못 삼켜서 한참 울었다

어떤 악보

네 귀에 노래를 해주고 싶어
자는 듯이 죽은 고막에 조용히 말하고 싶어
너는 왜 나를 괴롭게 만드느냐고
가사와 멜로디로 꾸며내서 소리치고 싶어
다섯 줄로 네 사지를 묶고 때가 되면 토막 내고 싶어
그리고 도돌이표
무슨 뜻인지 알아?
처음부터 다시 시작해

서툰 마음이 진심이 아니라면 모든 게 어려워져

식성이 바뀌었어 거짓말은 못 했지만

발　행 | 2024년 01월 19일
저　자 | 서고, 이가하
펴낸이 | 한건희
펴낸곳 | 주식회사 부크크
출판사등록 | 2014.07.15.(제2014-16호)
주　소 | 서울특별시 금천구 가산디지털1로 119 SK트윈타워 A동 305호
전　화 | 1670-8316
이메일 | info@bookk.co.kr
ISBN | 979-11-410-6439-6

www.bookk.co.kr